SCOOBY-DOO!
ET LE
KARATÉKA MASQUÉ

James Gelsey

Texte français de France Gladu

Éditions
■SCHOLASTIC

Pour Eden

Copyright © 2008 Hanna-Barbera.
SCOOBY-DOO et tous les personnages et éléments qui y sont associés sont des marques de commerce et © de Hanna-Barbera.
WB SHIELD : ™ et © Warner Bros. Entertainment Inc.
(s08)

Copyright © Éditions Scholastic, 2008, pour le texte français.
Tous droits réservés.

ISBN-13 978-0-545-99182-7
Titre original : Scooby Doo! and the Karate Caper

Conception graphique de Carisa Swenson
Merci à Duendes del Sur pour les illustrations de la couverture et de l'intérieur

Édition publiée par les Éditions Scholastic,
604, rue King Ouest, Toronto (Ontario) M5V 1E1.

5 4 3 2 1   Imprimé au Canada   08 09 10 11 12

Chapitre 1

—Toc, toc! lance Sammy depuis l'arrière de la Machine à mystères.

Fred, Daphné et Véra se regardent.

– Qu'est-ce qu'il a dit? demande Véra.

– Toc, toc, toc! répète Sammy.

Daphné hausse les épaules.

– Qui est là? demande-t-elle.

– Yvanou, dit Sammy.

– Yvanou qui?

– Yvanou falloir une pizza, on crève de faim! dit Sammy.

Scooby et lui éclatent de rire.

Fred secoue la tête en souriant :

— Ils t'ont bien eue, cette fois, Daphné.

— Est-ce qu'on arrive bientôt Chez Louis? demande Sammy en avançant la tête au-dessus de la banquette avant.

— R'ouais! R'ouis! ajoute Scooby.

— Dans quelques minutes, répond Véra. On jurerait que vous n'êtes pas allés à la pizzeria Chez Louis depuis des années.

— J'ai effectivement cette impression, dit Sammy.

— Pourtant, ça ne fait que quelques semaines, Sammy, précise Daphné.

— C'est qu'on ne voudrait surtout pas qu'il nous oublie, dit Sammy.

— À mon avis, vous n'avez rien à craindre, ajoute Fred. Louis ne vous oubliera pas. Vous êtes ses clients préférés.

Fred gare la fourgonnette le long du trottoir. Tous descendent et prennent la direction du restaurant.

— Et s'il avait fermé la pizzeria depuis notre dernière visite? demande Sammy. Où irions-nous manger nos pizzas spéciales ananas, champignons et pépites de chocolat sur une croûte croustillante et dégoulinante de fromage mozzarella?

Scooby se lèche les babines en écoutant Sammy. La liste des ingrédients suffit à le mettre en appétit.

– Il y a plus de quarante ans que la pizzeria de Louis se trouve au même endroit, Sammy, dit Véra. Elle n'a sûrement pas changé de place.

Fred s'arrête brusquement devant un commerce fermé.

– Euh… tu as peut-être parlé trop vite, Véra, dit-il. Regardez.

Il montre du doigt une affiche collée à la fenêtre et portant une inscription rédigée à la main.

– « La pizzeria Chez Louis s'installera bientôt ici », lit Daphné.

– Regarde, Scooby. Une autre pizzeria appelée Chez Louis va bientôt ouvrir en ville, dit Sammy.

J'espère que ce sera aussi bon qu'à notre Chez Louis à nous!

— Sammy, il ne s'agit pas d'une autre pizzeria Chez Louis, explique Véra. Il s'agit de la même. J'ai l'impression que Louis veut déménager son restaurant de l'autre côté de la rue dans ce vieux local vide.

— Véra a raison, poursuit Daphné en examinant l'affiche de plus près. On dit ici que Louis demande aux gens d'assister à la réunion

4

du conseil municipal de ce soir et de voter pour le déménagement.

– Mais, euh… pourquoi est-ce que Louis voudrait déménager? demande Sammy. Il a déjà l'endroit parfait pour une pizzeria!

– Il n'y a qu'une façon de le découvrir, dit Fred.

Suivi de ses amis, il traverse la rue en direction de la pizzeria. Lorsqu'ils s'approchent de la porte moustiquaire qu'ils connaissent si bien, l'odeur de la pizza au four leur chatouille les narines. Scooby lève la tête et inspire profondément.

– Raaaaahhhhh!

Il sourit.

– Tout à fait d'accord, Scooby, dit Sammy.

– Vous savez qu'il y a toujours beaucoup de monde, les gars, prévient Fred. Nous allons peut-être devoir attendre quelques minutes.

– Ça va, Fred, dit Sammy. Scooby et moi allons nous régaler d'odeurs jusqu'à ce que nos pizzas soient prêtes.

Les amis pénètrent dans le restaurant.

– Juste ciel! s'exclame Véra.

— R'oh, r'oh! gémit Scooby.

— Où sont-ils tous passés? se demande Daphné.

La pizzeria est complètement vide. Sur le mur du fond, la murale de l'Italie a été éclaboussée de peinture et porte les mots : PRENEZ GARDE À LA MALÉDICTION DE KI-YA.

— Je ne sais pas si tu es comme moi, Scooby, mais je viens juste de perdre l'appétit, dit Sammy.

— R'oi r'aussi, répond Scooby.

Et avant que l'un d'entre eux ait pu ajouter quoi que ce soit, un hurlement à glacer le sang retentit derrière la murale.

Chapitre 2

—Qui va là? lance une voix depuis la cuisine. Le tablier maculé de sauce tomate, Louis Farfalle se précipite hors de sa cuisine et vient se poster derrière le comptoir.

— Ahhhhhh! Mes meilleurs clients! dit Louis en souriant. Quel plaisir de voir des visages amicaux!

— Salut Louis, dit Fred.

— Hé, mais où est tout le monde? demande Sammy.

Daphné lui jette un regard désapprobateur :

— Voyons, Sammy!

— Non, non, ça ne fait rien, dit Louis. Il a

raison : il n'y a personne. Les gens entrent, mais ressortent aussitôt quand ils aperçoivent les mots peints sur le mur.

— Qui a fait ça? demande Fred.

— Je n'en sais rien, répond Louis d'une voix triste.

— Et si vous repeigniez par-dessus? demande Véra.

— J'ai bien essayé, mais cette peinture fluorescente continue de ressortir, dit Louis. Et même si les gens n'étaient pas effrayés par les mots, ils le seraient par le bruit.

— Vous voulez parler de ce hurlement que nous venons d'entendre? demande Daphné.

Louis hoche lentement la tête.

— Depuis votre dernière visite au restaurant, une école de karaté a ouvert ses portes juste à côté, explique-t-il. C'est de là que proviennent tous ces cris effroyables. Ils doivent hurler en cassant des planches ou quelque chose du genre. Tout cela est devenu si infernal que les gens ne veulent plus manger ici. J'ai essayé de mettre la musique un peu plus fort, mais les clients n'ont pas apprécié.

– Et c'est pour cette raison que vous voulez déménager de l'autre côté de la rue? demande Véra.

– Bien sûr! Je suppose que là-bas, je ne serai plus ennuyé par les cris ou les malédictions, dit Louis.

– Euh… mais cette malédiction de Ki-Ya, c'est quoi, au juste? demande Sammy.

– Ki-Ya est un guerrier célèbre qui a vécu il y a plusieurs siècles, dit une voix derrière eux.

Tous se retournent et aperçoivent un homme vêtu d'une tenue de karaté. Un dragon rouge est cousu sur le devant de sa veste, retenue à la taille par une ceinture noire solidement nouée.

Louis regarde l'homme et fronce les sourcils.

– Qu'est-ce que tu veux? beugle-t-il.

— Mais une pizza, évidemment, Louis, répond l'homme.

Louis retourne vers sa cuisine en grognant et en traînant les pieds.

— Sensei Sim, dit l'inconnu en tendant la main.

Fred lui serre la main et s'empresse de faire les présentations.

— Je suis le propriétaire de l'école de karaté voisine du restaurant, poursuit Sim.

Il se lève sur la pointe des pieds pour s'assurer qu'il ne voit pas revenir Louis. Puis il se penche par-dessus le comptoir et attrape une pointe de pizza.

— Selon la légende, Ki-Ya détestait se battre, explique Sensei Sim entre deux bouchées. Mais comme des envahisseurs menaçaient sa ville, il a inventé le karaté et l'a enseigné à ses concitoyens. Lorsque les envahisseurs sont arrivés, Ki-Ya a conduit son peuple à la victoire sans armes ni effusion de sang. Et toute trace des envahisseurs a disparu à jamais de la surface de la Terre.

— Alors en quoi consiste sa malédiction? demande Véra.

— Selon la malédiction, quiconque déplaît à l'esprit de Ki-Ya connaîtra le même sort, dit Sim en terminant la pizza.

— C'est à vous donner la chair de poule, dit Daphné.

— Un peu comme ces cris, ajoute Sammy.

— Surtout, n'allez pas croire tout ce que Louis vous dit, prévient Sim en allongeant le bras pour saisir une autre pointe de pizza. Nous ne sommes pas toujours en train de crier, à l'École de karaté Sensei Sim. D'ailleurs, si tout fonctionne comme je le souhaite, personne n'aura à se plaindre du bruit que nous faisons.

— Que voulez-vous dire? demande Fred.

— Je compte participer à la réunion du conseil municipal de ce soir pour convaincre tout le monde de me laisser prendre possession du commerce abandonné de l'autre côté de la rue,

dit Sim. Après tout, la ville n'a pas besoin d'une plus grande pizzeria, mais plutôt d'un endroit où les enfants et les adultes peuvent apprendre cet art ancien qu'est le karaté. Regardez, j'ai fait un croquis de ce que ça pourrait donner.

Sensei Sim sort de sa poche un bout de papier qu'il déplie d'une seule main. Pendant qu'il se concentre sur ce geste, la pointe de pizza qu'il tient dans l'autre main tangue dangereusement. Sammy et Scooby n'arrivent pas à la quitter des yeux.

Sim admire son dessin, puis le remet dans sa poche.

– Oui, m'sieur! Rien de tel que le karaté pour garder le corps et l'esprit en pleine forme, déclare-t-il.

– KIIIIIIIIII-YAAAAAAA! hurle quelqu'un derrière le comptoir.

Une silhouette fend l'air et attrape au vol la pointe de pizza que tient Sim. Il sursaute :

– Mais qu'est…

– Tu n'as pas honte, Simon Simonov! s'écrie une femme.

Chapitre 3

Sensei Sim pivote sur lui-même et se trouve devant une femme âgée en position de karaté. De la poche de son tablier blanc attaché à la taille pend un calepin. Sa chevelure grise est relevée en un chignon serré dans lequel sont plantés deux stylos-billes.

— Vous n'avez pas perdu votre technique, madame L, constate Sim.

— Merci, répond la femme. Je suis allée à bonne école.

— Juste ciel, madame Léger, s'exclame Véra qui n'en croit pas ses yeux. C'est bien vous qui venez de sauter par-dessus ce comptoir et de prendre la pizza de Sensei Sim?

14

La femme hoche la tête en tendant la pointe de pizza à Sammy. Mais juste au moment où celui-ci s'apprête à la déguster, la langue de Scooby s'allonge et s'empare prestement du morceau.

— Comme Louis ne peut pas supporter Sim, il m'a envoyée le servir, dit-elle.

Elle retire le calepin de la poche de son tablier et fait glisser un stylo hors de son chignon.

— Deux pointes de pizza, dit Mme Léger en notant sur son calepin.

Elle déchire la feuille et la remet à Sim.

— Ce sera trois dollars, Simon. Et je ne veux plus te voir prendre de la pizza sans le demander d'abord.

Sim rougit légèrement et plonge la main dans sa poche.

— Oui, madame Léger, dit-il en lui tendant l'argent.

– Comment? Pas de pourboire? s'étonne-t-elle.

– Vous voulez un pourboire? demande Sim. Écartez les pieds un peu plus quand vous atterrissez.

Il sourit et quitte la pizzeria. La porte moustiquaire claque bruyamment derrière lui, puis s'ouvre de nouveau sous le choc. Mme Léger s'empresse d'aller la refermer. Lorsqu'elle se retourne, elle constate que les cinq amis la fixent encore.

– Je sais ce que vous pensez, dit-elle. Vous vous demandez comment une vieille femme comme moi arrive à bouger aussi rapidement.

– Eh bien, oui, avoue Daphné. Il y a des années que nous venons ici et nous ne savions pas que vous pratiquiez le karaté.

– Il y a bien des choses que vous ne savez pas à mon sujet, dit Mme Léger.

– Par exemple, le fait que vous connaissiez si bien Sensei Sim, dit Fred.

– Je le gardais quand il était jeune, explique Mme Léger. Nous regardions des vieux films de kung-fu ensemble et nous imitions les acteurs.

Quand il a commencé à enseigner le karaté, il m'a permis de suivre ses cours gratuitement. Je trouve que le karaté me permet de rester agile. Malheureusement, il semble que je vais avoir plus de temps que prévu pour m'entraîner.

– Parce que plus personne ne vient au restaurant? s'informe Daphné.

– Oui, en partie, et parce que Louis va me mettre à la porte quand il déménagera, ajoute Mme Léger. L'autre jour, j'ai surpris l'une de ses conversations téléphoniques. Il disait qu'il allait devoir se débarrasser de la vieille au moment du déménagement.

– C'est tellement triste, dit Daphné. Je n'arrive pas à imaginer cet endroit sans vous, madame Léger.

– J'essaie de trouver un moyen de le convaincre de rester ici, poursuit Mme Léger. Regardez, j'ai même dessiné des plans pour lui

17

montrer comment il pourrait améliorer le restaurant et en faire un lieu mieux insonorisé et plus rentable.

Elle glisse la main dans la poche de son tablier et en sort une esquisse du restaurant tracée au crayon. Puis elle entend le pas traînant de Louis et remet aussitôt le dessin dans sa poche.

— Il est parti? demande Louis.

— Oui, il y a quelques minutes, répond Fred.

— Parfait, dit Louis. Rien qu'à le voir, j'ai l'estomac qui se roule en boule comme un tortellini!

— À propos, ajoute Sammy en se frottant la

18

bedaine, que diriez-vous d'un spécial Scooby et d'un bol de pâtes?

Un sourire se dessine lentement sur le visage de Louis.

– Ah! Mes gars ne perdent jamais de vue ce qui importe vraiment, dit-il. Comme rendre les gens heureux avec de bons petits plats. Je reviens tout de suite, les enfants!

Louis disparaît de nouveau dans la cuisine.

– Vous pouvez vous asseoir, je vais mettre le couvert, dit Mme Léger.

Juste au moment où les amis prennent place à leur table, un puissant coup de vent ouvre brusquement la porte moustiquaire.

– R'aïe! sursaute Scooby.

– Eh, détends-toi, Scooby, dit Sammy. Ce n'est que la porte. Tu n'as pas à t'inquiéter.

Mais le vent souffle de nouveau... si fort que la porte s'ouvre et se referme à trois reprises.

– Sapristi! s'écrie Sammy en plongeant sous la table.

– Oh! J'en ai assez de cette porte, grommelle Mme Léger. Louis! Je m'en vais à la quincaillerie chercher un nouveau loquet pour la porte avant qu'elle ne blesse quelqu'un!

Chapitre 4

La bande attaque son repas pendant que Louis s'affaire à fixer une nappe sur la murale couverte d'éclaboussures de peinture.

– Tu n'as toujours pas réparé cette porte, à ce que je vois, lance une femme en entrant dans la pizzeria.

Les cinq amis lèvent la tête et aperçoivent, debout au comptoir, une grande femme vêtue d'un pantalon foncé et d'un chandail rose. Des documents pliés dépassent de la poche arrière de son pantalon.

Louis la regarde et fronce les sourcils.

– Ah! on s'en fiche, de la porte, dit-il. Tu veux quelque chose?

– J'aimerais bien un sandwich tomate et mozzarella, dit-elle.

Louis retourne vers la cuisine en traînant les pieds.

– Sois gentil et assure-toi que le basilic est frais, cette fois, Louis, lance la femme.

– Comment va la librairie, madame Dumuguet? demande Véra.

Éléonore Dumuguet se retourne en entendant son nom.

– Très bien, dit-elle, mais je ne t'ai pas vue beaucoup, dernièrement.

– J'ai passé plus de temps à la bibliothèque, dit Véra.

– Toute la ville a fait comme toi, marmonne Éléonore.

Il n'y a pas de place, mais Éléonore se glisse tout de même sur la banquette à côté de Fred.

– Vous permettez que je m'assoie? demande-t-elle. Depuis ce matin, je meurs d'envie de montrer ça à quelqu'un.

Elle sort les documents de sa poche, puis les déplie sur la table. Pour faire de la place, elle pousse de côté les assiettes de Sammy et de Scooby.

– Alors! Que pensez-vous de ça? demande Éléonore.

– Qu'est-ce que c'est? la questionne Daphné.

– On dirait un plan, observe Véra. Laissez-moi deviner… C'est pour ce magasin vide, de l'autre côté de la rue.

– Dis donc! Comment as-tu fait pour deviner ça, Véra? s'étonne Éléonore.

– Il semble que vous ne soyez pas la seule personne intéressée par cet endroit, répond Fred.

– Je sais, mais je suis la seule qui aie vraiment une chance d'obtenir l'approbation du conseil municipal, dit Éléonore. Après tout, qui

voterait pour une pizzeria
ou pour une école de
karaté, quand il est
possible de voter pour
un commerce qui
apportera à cette ville
un peu de culture et de
raffinement?

– Euh, en ce moment, je me contenterais
d'une pizza et d'un bol de spaghetti, chuchote
Sammy à Scooby.

Ensemble, ils allongent le bras vers leur
assiette.

– Attention, mon petit Sammy, dit Éléonore.
Tu ne voudrais pas que la sauce gicle sur mes
dessins, n'est-ce pas?

– Non, seulement dans ma bouche, dit
Sammy.

Louis revient lentement de la cuisine, portant
l'assiette dans laquelle se trouve le sandwich.

– Cesse d'importuner mes clients, Éléonore,
dit-il. Et arrête de leur mettre des idées en tête.
Personne ne va voter pour une librairie ou une

école de karaté. Le maire m'a déjà dit que son équipe prévoyait voter pour moi. Il ne manque plus que le vote du conseil municipal pour rendre leur décision officielle. Et ils ne changeront pas d'idée.

Éléonore replie ses documents et sourit.

– Mais il le faudra bien, Louis, dit Éléonore. Quand toi-même, tu auras changé d'avis et décidé que tu ne veux plus déménager, évidemment.

– Bon, et pourquoi est-ce que je changerais d'avis? demande Louis.

Éléonore hausse les épaules et se dirige vers la porte.

– Et ton sandwich? lui lance-t-il.

– Oh, je vais simplement l'emporter, dit Éléonore.

Elle revient vers la table et saisit l'assiette :

– À plus tard, Louis!

L'assiette à la main, elle quitte le restaurant.

– Hé! C'est mon assiette! s'écrie Louis. Ahhhhhh! Tant pis! Parfois, je préférerais n'avoir jamais ouvert ce restaurant!

Sammy et Scooby cessent de manger et regardent Louis, les yeux grands comme des soucoupes.

– Hé! Ne dites plus jamais ça, Louis, gronde Sammy.

– Désolé, les gars, dit Louis. Je ne voulais pas vous contrarier. Mais après le repas, vous pourrez peut-être m'aider à réveiller le quartier. Ce serait chouette de retrouver un restaurant rempli de clients.

– Ouais! Vous pouvez compter sur Scooby et moi! déclare Sammy.

Chapitre 5

Plus tard dans l'après-midi, Louis fait tourner des pâtes à pizza derrière le comptoir de son restaurant vide. Fred, Daphné et Véra plient des menus et des serviettes.

– Je vous remercie de m'aider, les enfants, dit Louis. Mme Léger n'a pourtant pas l'habitude de s'absenter si longtemps.

– C'est un plaisir, Louis, dit Daphné.

Véra lève soudain les yeux de son travail.

– Vous entendez? demande-t-elle.

Tous perçoivent un vague martèlement, au loin.

Peu à peu, le martèlement se rapproche.

– On dirait… une fanfare en marche, dit Fred.

Soudain, la porte moustiquaire s'ouvre d'un coup sec. Sammy et Scooby font leur entrée, suivis d'une foule. Scooby frappe en cadence sur un tambour presque aussi gros que lui. Les clients courent s'installer aux tables vides.

– Vous aviez commandé un restaurant plein, Louis? Eh bien, le voilà! dit Sammy.

Louis sourit :

– Merci, les gars. Mais quand j'ai parlé de

réveiller le quartier, je ne m'attendais pas à ce que vous me preniez à ce point au sérieux.

— Juste ciel, Sammy! Comment avez-vous fait, tous les deux? demande Véra.

— Très simple, dit Sammy. Scooby et moi avons emprunté le tambour au magasin de musique du coin et nous avons fait une marche militaire en ville. Scooby battait le tambour et moi, je criais le nom du restaurant.

— R'izza r'atuite! ajoute Scooby.

Les yeux de Louis s'arrondissent comme des billes.

— Pizza gratuite? répète-t-il.

— Sammy, mais à quoi as-tu pensé? gronde Daphné. Louis ne peut pas se permettre de nourrir tout le monde gratuitement!

— Ahhhhh, ça ne fait rien, Daphné, dit Louis. Dès la première bouchée de leur pointe gratuite, ils voudront tous commander une pizza complète.

— Nous allons vous aider à faire le service jusqu'à ce que Mme Léger soit revenue, dit Daphné.

— Et Scooby et moi allons vous donner un coup de main à la cuisine, ajoute Sammy.

Mais avant que quiconque ait pu faire quoi que ce soit, un hurlement aigu et assourdissant déchire l'air de la pizzeria.

— KIIIIIIIIIIIIII-YAAAAAAA!

La porte moustiquaire s'ouvre de nouveau brusquement. Quelqu'un ou quelque chose pirouette dans les airs et atterrit devant le comptoir.

– Sapristi! s'écrie Sammy.

La créature est vêtue d'une tenue de karaté noire, de bottes noires, de gants noirs et d'un masque noir qui recouvre toute sa tête. On ne voit de son visage que des yeux rouges brillants.

– Je suis la malédiction de Ki-Ya! siffle la créature.

Elle saisit par-dessus le comptoir une pizza fraîchement cuite dans sa tôle métallique, la pose sur une table et la fait tournoyer. Puis, d'un geste aussi rapide que l'éclair, elle se met à trancher cette pizza tournante.

– KIIIIII-YA-YA-YA-YA-YA-YA-YA! crie-t-elle.

Lorsque la pizza s'arrête de tourner, elle est tranchée en fines pointes.

– Cette pizzeria doit rester là où elle est, prévient le karatéka masqué. Car si elle déménage, celles et ceux qui y mangeront s'attireront la malédiction de Ki-Ya pour toujours!

Bondissant en position spéciale de karaté, la créature masquée joint lentement ses mains, se frotte les paumes d'un geste rapide, puis les frappe ensemble.

– KIIIIII-YA!

La créature lève une main et l'abat sur la table. La table craque et se casse en deux. La créature saute dans les airs en riant et bondit vers la porte. Les clients ne tardent pas à se précipiter eux aussi vers la sortie.

– Attendez! crie Louis. Ne partez pas! Ce n'était qu'un petit spectacle de karaté. Une publicité pour l'école de karaté voisine. Restez! Pizza et raviolis gratuits pour tout le monde!

Trop tard. Les clients se ruent vers la porte. Les quelques personnes qui sont encore là conseillent à Louis d'écouter le karatéka masqué et de laisser tomber le déménagement.

— Écoutez, Louis, je vais vous rendre service et insister pour que le conseil municipal vote contre vous ce soir, lui dit un client en sortant. Vous m'en remercierez un jour.

Louis jette un regard sur son restaurant vide.

— Ahhhh! ils ont peut-être raison, dit-il. Je ne peux pas faire concurrence à cette affreuse créature qui rôde par ici. Regardez ce qu'elle a fait à ma table.

— Louis, occupez-vous de votre restaurant, dit Fred. Et laissez-nous nous occuper du karatéka masqué.

Chapitre 6

—**A**lors? Par où commençons-nous? demande Daphné.

– Si on commençait par la pizza et les raviolis gratuits? propose Sammy. Scooby et moi détestons faire le travail de détectives l'estomac vide.

– Vous détestez faire le travail de détectives, point à la ligne, dit Véra. Mais si vous voulez que la pizzeria de Louis reste ouverte, vous allez devoir nous aider à résoudre cette énigme.

Louis repart vers la cuisine en traînant les pieds.

– Où allez-vous, Louis? demande Fred.

– Dans mon bureau, dit Louis. Je veux écrire

une lettre au conseil municipal pour retirer ma candidature. Juste en cas de besoin.

Les amis entendent la porte du bureau se refermer.

– Si nous voulons résoudre cette énigme avant la réunion de ce soir, il va falloir agir vite, dit Fred. Je propose que nous nous séparions tout de suite.

– Bonne idée, Fred, dit Véra. Sammy, Scooby et moi allons chercher par ici.

– Toi et moi pourrions aller examiner la rue, Fred, suggère Daphné. Le karatéka masqué a peut-être laissé des indices en arrivant ou en partant.

Fred est d'accord :

– Retrouvons-nous ici le plus tôt possible. Bonne chance à tous.

Fred et Daphné sortent du restaurant en prenant soin de bien refermer la porte moustiquaire.

– Juste ciel, quel dégât! dit Véra.

– Cette créature karatéka doit avoir des mains vraiment aiguisées pour arriver à trancher tout ça, fait remarquer Sammy.

– Pas des mains aiguisées, Sammy, dit Véra. Seulement des mains rapides. Le karaté est l'un des arts martiaux les plus anciens. Mais il s'agit d'un vrai moyen de défense et il n'est pas censé être utilisé pour faire peur aux gens. Bon. Commençons donc nos recherches.

Véra se dirige vers la porte et regarde au plafond.

– Le karatéka masqué a fait une pirouette dans les airs à partir d'ici et a atterri là, près du comptoir, dit-elle. Puis il s'est approché de la table pour couper la pizza et il est passé de ce côté pour couper la table en deux. Alors il a bondi dans les airs pour sortir.

Sammy, toi et Scooby allez regarder près du comptoir. Moi, je vais jeter un coup d'œil autour des tables.

Sammy et Scooby s'approchent du comptoir. Scooby renifle le plancher. Sammy passe derrière le comptoir pour l'inspecter. Scooby renifle plus haut et Sammy cherche plus bas. Leurs nez se rencontrent au milieu.

– Hé, Scooby, chuchote Sammy. Est-ce que tu penses à ce que je pense?

Scooby sourit et agite la queue.

– R'est r'ertain! aboie-t-il.

– Pas de blagues, vous deux! leur lance Véra. Nous cherchons des indices.

– Oui, nous cherchons, Véra, répond Sammy.

– J'ai trouvé quelque chose! s'exclame Véra.

Elle se penche près de la table cassée et ramasse un bout de papier chiffonné sur lequel se trouvent des traits de crayon.

– Venez voir ça, les gars! appelle Véra.

Elle se rend jusqu'au comptoir et pivote sur elle-même. Pas la moindre trace de Sammy et Scooby.

– Sammy? Scooby?

Les deux compères surgissent derrière le comptoir.

— Ce sera champignons ou anchois, pour toi? demande Sammy.

— Je croyais vous avoir dit de ne pas faire de bêtises! gronde Véra.

— Euh, nous cherchions des indices, Véra, je t'assure, dit Sammy.

— Je vais rejoindre Fred et Daphné pour leur montrer ce que j'ai trouvé, dit Véra.

Elle sort d'un pas rapide, laissant Sammy et Scooby derrière le comptoir.

— Prêt, mon gars? demande Sammy.

— Prêt! répond Scooby.

Chacun saisit une boule de pâte qu'il lance dans les airs pour faire de la pizza. Les boules de pâte retombent et s'écrasent sur le comptoir en soulevant un énorme nuage de farine.

— Je pense qu'il va falloir améliorer notre technique, conclut Sammy en toussant.

Pendant que lui et Scooby gesticulent à qui mieux mieux pour dissiper le nuage, ils entendent des pas venant de la cuisine.

— Désolés, Louis, nous allons tout vous expliquer, commence Sammy.

Mais avant qu'il ait pu poursuivre ses explications, un cri familier et inquiétant se fait entendre :

— KIIIIIIIIIIII-YAAAAAAA!

Chapitre 7

orsque le nuage de farine retombe, Sammy et Scooby constatent qu'ils se trouvent face à face avec la créature.

– R'aïe! gémit Scooby.

– Filons, Scoob! hurle Sammy.

Vite, Sammy et Scooby poussent la porte et se précipitent sur le trottoir.

– Au secours! Le ka… le ka-ka est derrière nous! crie Sammy.

Fred et Daphné courent vers leurs amis. Véra accourt elle aussi d'une autre direction.

– Calme-toi, Sammy, dit Daphné. Tu dis que le karatéka masqué se trouvait dans le restaurant?

– R'ouais, dit
Scooby.

Il prend une
pose de karaté et
se met à trancher
l'air de sa patte :

– R'iii-ya! R'iii-
ya! R'iii-ya!

– C'est bon,
Scooby. On a
compris, dit Fred.

Sammy et Scooby se tournent pour reprendre
leur course et foncent droit sur Mme Léger. Elle
titube sous le choc et laisse tomber le sac de la
quincaillerie qu'elle transportait.

– Ouf! J'ai vu des étoiles, dit-elle.

– Désolés, madame Léger, s'excuse Sammy,
mais le karatéka masqué était derrière nous.

– Le karatéka masqué? répète Mme Léger.

– Ki-Ya, disent Fred et Daphné.

Fred ramasse le sac et le remet à Mme Léger.

– Un peu plus tôt, l'esprit de Ki-Ya est passé au restaurant et a fait toute une scène.

– Et tout un dégât, ajoute Daphné. Nous cherchons des indices pour arriver à comprendre le fin mot de cette histoire.

– Je vois, dit Mme Léger. Alors, je ferais mieux d'aller retrouver Louis et de réparer la porte. Bonne chance.

Mme Léger disparaît dans la pizzeria.

– Je me demande pourquoi elle n'a pas eu l'air effrayé, dit Fred.

– Peut-être parce qu'elle ne s'est pas retrouvée nez à nez avec le karatéka aux mains folles, dit Sammy.

– À propos du karatéka, ajoute Véra, regardez ce que j'ai trouvé dans la pizzeria.

Elle montre le dessin à Fred et Daphné.

– Voici ce que Daphné et moi avons trouvé ici, sur le trottoir, dit Fred.

Il tient un feuillet annonçant la réunion du conseil municipal qui a lieu le soir même. Sur la liste des sujets à discuter, l'un d'eux a été encerclé : Approbation du déménagement de la pizzeria Chez Louis dans le local vide de la rue Principale.

— Ce sont de bons indices, mais il y a encore quelque chose que je ne comprends pas, dit Daphné. Nous avons trouvé des gens qui nous ont affirmé avoir vu le karatéka masqué sortir en courant du restaurant et s'enfuir de ce côté de la rue. Comment a-t-il pu revenir si rapidement à la pizzeria, alors?

— Il est peut-être passé par la porte arrière, dit Véra. Quand je suis sortie de la pizzeria pour aller vous chercher tous les deux, j'ai aperçu un groupe d'élèves qui entrait à l'école de karaté voisine. Je suis allée voir de ce côté et j'ai trouvé une ruelle étroite tout au bout de l'immeuble. J'ai bien l'impression qu'elle mène à l'arrière.

— Je parie qu'il y en a une aussi à l'autre extrémité des commerces, dit Fred.

— Et je parie que c'est comme ça que le karatéka masqué a pu sortir par l'avant et revenir aussi rapidement : en passant par la porte arrière! ajoute Daphné.

— Allons vérifier! propose Véra.

Les amis descendent la rue. Deux boutiques plus loin, juste après la librairie d'Éléonore Dumuguet, ils trouvent une autre ruelle. Ils longent la ruelle jusque derrière l'immeuble, puis reviennent à la pizzeria en entrant par la porte arrière. Fred, Daphné et Véra regardent autour d'eux. Scooby se met à renifler de tous les côtés.

— Parfait, voilà la porte arrière, dit Sammy. Et puis après?

— Après? Eh bien pas grand-chose, Sammy, finalement, dit Fred. Rien d'autre que des sacs de farine vides et des caisses de carton abîmées.

— R'et des r'ouquins, dit Scooby.

– Des bouquins? Quels bouquins? demande Véra.

Scooby montre de la patte un livre qui dépasse sous une pile de sacs de farine.

Daphné se penche et ramasse le livre. Elle souffle la mince couche de farine qui le recouvre.

– Ce livre paraît tout neuf, dit Daphné.

– Oui, c'est un manuel tout neuf, ajoute Véra.

– Quel genre de manuel? demande Fred.

Daphné regarde :

– Un manuel de karaté, dit-elle.

– Vous savez ce que ça signifie, les amis, dit Fred. Le moment est venu de tendre un piège.

Chapitre 8

— Nous n'avons pas beaucoup de temps, Fred, dit Daphné. Le conseil municipal va bientôt se réunir.

— Je sais, répond Fred. Et il faut s'arranger pour attirer le karatéka masqué une nouvelle fois Chez Louis.

— Alors faisons croire à tout le monde que Louis a toujours pour projet de déménager, suggère Véra. Nous pourrions placer une grande affiche à la fenêtre.

— C'est un bon début, Véra, dit Fred. Mais il faut aller encore plus loin. Et pour y arriver, nous allons avoir besoin de ton aide, Scooby.

— R'as r'estion! déclare Scooby en faisant non de la tête.

— Scooby, tu nous aiderais en échange d'une super pizza à l'ananas, aux champignons et aux pépites de chocolat? demande Daphné.

Scooby se pourlèche les babines.

— Rappelle-toi le karatéka masqué, Scoob, chuchote Sammy.

— R'as r'estion! répète Scooby en reprenant ses esprits.

— Alors que dirais-tu d'une super pizza à l'ananas, aux champignons et aux pépites de chocolat plus tard et d'un Scooby Snax dès maintenant? demande Daphné.

— R'accord! aboie Scooby.

Daphné lance un Scooby Snax dans les airs et Scooby l'avale illico. Il se lèche les babines de sa grande langue rose.

— Alors voici ce que nous allons faire, dit Fred. Les filles, vous allez rentrer à la pizzeria et fabriquer l'affiche pour la fenêtre. N'oubliez pas de souligner l'arrivée du chef Scoobino, qui arrivera d'Italie pour collaborer à la grande ouverture.

– Qui est le chef Scoobino? demande Sammy.

– Tu le regardes en ce moment, dit Fred. Scooby, tu te tiendras debout derrière le comptoir en faisant semblant d'être le chef Scoobino.

– R'errière le r'omptoir? dit Scooby. R'a alors!

– J'ai dit en *faisant semblant* d'être un chef, précise Fred en souriant. Sammy, toi et moi allons nous cacher derrière la nappe que Louis a fixée sur la murale. Quand le karatéka masqué fera son entrée, Scooby, tu t'occuperas de le distraire. Sammy et moi allons sauter sur lui et le coincer dans la nappe. D'accord?

– R'accord! dit Scooby.

– Je vais aller expliquer notre plan à Louis, dit Fred. Sammy, aide Scooby à se préparer.

Fred, Véra et Daphné entrent dans le restaurant pour tout mettre en place.

– Allons-y, mon gars, dit Sammy.

Scooby et lui entrent dans la cuisine. Sammy trouve un autre tablier et l'attache derrière le dos de Scooby. Puis il plonge la main dans un bol de spaghettis cuits et en retire quelques pâtes. Il tortille ces pâtes pour en faire une longue moustache qu'il colle juste sous le nez de Scooby. Sur la dernière tablette d'une haute étagère remplie de casseroles, il repère une toque de chef cuisinier. Il allonge le bras, attrape la toque et la pose avec précaution sur la tête de Scooby.

– Vous êtes prêts, les gars? lance Fred depuis l'avant du restaurant.

– On arrive, Fred, lui répond Sammy.

Sammy et Scooby quittent la cuisine et s'avancent.

– Je vous présente le chef Scoobino. Bonne chance, mon vieux!

Scooby se tient derrière le comptoir alors que Sammy se cache avec Fred sous la nappe suspendue au mur. Véra et Daphné ont placé à la fenêtre une affiche annonçant l'arrivée du chef Scoobino, puis ont couru se cacher à l'arrière du restaurant.

Scooby essaie de fabriquer une autre pizza. Il forme une boule de pâte. Il reprend la boule entre ses pattes et se met à l'étirer. Puis, il la fait tourner dans les airs et la regarde retomber… directement sur sa tête. Il rit :

– R'hi, r'hi, r'hi, r'hi!

Mais juste à ce moment, un cri perçant le fait frissonner.

– KIIIIIIIIII-YAAAAAAA!

Puis Scooby entend quelque chose s'écraser, dehors, près de l'entrée. L'instant d'après, quelqu'un lutte contre la porte moustiquaire réparée. Pendant que celle-ci s'ouvre finalement en grinçant, Scooby retire la pâte à pizza qui lui couvre les yeux. Le karatéka masqué bondit dans la pizzeria et jette un coup d'œil autour de lui. Il aperçoit Scooby et siffle.

– R'aïe! gémit Scooby en plongeant sous le comptoir.

– La malédiction de Ki-Ya est avec toi pour toujours, chef Scoobino! rugit la créature.

Elle s'avance vers le comptoir et lève sa main gantée de noir. Juste au moment où elle s'apprête à fendre le comptoir d'un coup de karaté, elle entend un bruit derrière elle et se retourne prestement.

– Personne ne peut déjouer la malédiction de Ki-Ya! siffle le karatéka masqué à Sammy et Fred.

Et avant qu'ils aient pu réagir, ses mains aussi rapides que l'éclair les a enveloppés dans la nappe.

Le karatéka masqué revient vers le comptoir, mais Scooby n'est plus là.

– R'ar ici! appelle Scooby.

Le karatéka pivote de nouveau sur lui-même et aperçoit Scooby debout sur une table. D'un bond, il atterrit à l'autre bout de la table. Scooby vole dans les airs au-dessus de son attaquant et retombe derrière le comptoir.

Juste au moment où le karatéka masqué saute par-dessus le comptoir, Scooby se relève, la toque de chef sur les yeux. En plein vol, le karatéka se

prend les pieds dans la toque de Scooby et tombe à la renverse sur le sol. Scooby saute sur le comptoir pour s'enfuir, mais accroche au passage un sac plein de farine qui se déverse sur son attaquant.

Le karatéka masqué tente de se relever, mais reste coincé derrière un tas de sacs de farine à pizza.

ouis arrive en courant de l'arrière du restaurant avec Véra et Daphné. Véra dénoue la nappe et libère Fred et Sammy. Daphné s'assure que Scooby n'a rien de cassé. Puis Fred et Louis obligent le karatéka à se relever. Sa tenue noire maintenant blanche le fait ressembler à un fantôme.

– Alors, Louis, êtes-vous prêt à voir qui se cache derrière cette machination? demande Fred.

Louis acquiesce et étend le bras. Il saisit le masque du karatéka et le retire brusquement.

– Ahhhhh! Éléonore Dumuguet! s'exclamet-il. C'est toi qui voulais essayer de me ruiner?

— C'est bien ce que nous soupçonnions, dit Véra.

— Vous le saviez, Véra? demande Louis. Comment est-ce possible?

— Ça n'a pas été facile, Louis, dit Daphné. Du moins, pas au début. Nous avons d'abord suspecté plusieurs personnes.

— Par exemple, Sensei Sim, Éléonore, et même Mme Léger, dit Fred. Tous ces gens avaient des raisons de ne pas vouloir que vous déménagiez la pizzeria.

— Et ils nous ont tous montré quelque chose qui coïncidait avec notre premier indice, dit Véra. Une partie d'un plan d'aménagement pour le nouveau local, ou, dans le cas de Mme Léger, pour ce vieux local.

— Donc, ce premier indice a simplement confirmé qui étaient nos suspects, poursuit

Fred. Mais l'indice suivant a plutôt réduit leur nombre.

— Dehors, nous avons trouvé un avis annonçant la réunion du conseil municipal, dit Daphné. Et à l'ordre du jour, le point qui portait sur la pizzeria et le local libre était encerclé. Ce qui nous indiquait que le karatéka masqué s'intéressait tout particulièrement à cette partie de la réunion.

— Tout comme Sim et Éléonore, dit Fred. Ils avaient tous les deux annoncé qu'ils prévoyaient convaincre le conseil municipal de voter contre vous.

— Mais c'est grâce au dernier indice que nous avons pu rassembler toutes les pièces du casse-tête, explique Véra. Nous avons constaté que le karatéka masqué avait utilisé la porte arrière lorsqu'il était revenu effrayer Sammy et Scooby. Alors nous avons inspecté l'arrière de la pizzeria et nous avons trouvé ceci.

Véra leur montre le livre découvert par Scooby.

— « Le karaté : du débutant à la ceinture noire

en dix leçons faciles », lit Louis. Bon, c'est un manuel de karaté.

— C'est un manuel de karaté tout neuf, dit Daphné. Du genre qu'on trouve sans difficulté en librairie.

— Et dont un expert en karaté comme Sim ou Mme Léger n'aurait aucun besoin, dit Fred.

— Pourquoi t'es-tu donné tout ce mal, Éléonore? demande Louis.

— Parce que j'avais besoin d'agrandir ma librairie rapidement, dit Éléonore. Depuis que la ville m'a obligée à faire des réaménagements, les clients ne viennent plus. Ils avaient tout, pourtant. Tout, sauf les choses que j'allais installer dans ma nouvelle librairie, comme un café, un bar laitier et même, un four à pizza. J'avais de grands projets pour ce local. Et je les aurais réalisés, si ces jeunes et leur chien fouineur ne s'en étaient pas mêlés.

Mme Léger arrive, flanquée de deux policiers.

– J'ai entendu un tel vacarme que j'ai téléphoné à la police, dit-elle. Est-ce que tout va bien?

– Oui, et c'est grâce aux enfants, dit Louis.

Les deux policiers prennent Éléonore par les bras et l'emmènent.

– Je comprends à présent pourquoi Sim et Éléonore ne voulaient pas me voir déménager, mais vous, madame Léger, quelle était votre raison? demande Louis.

– Eh bien, j'ai surpris une conversation téléphonique dans laquelle vous disiez qu'en déménageant, vous alliez devoir vous débarrasser de la vieille, dit Mme Léger. Ça vous rappelle quelque chose, Louis?

Louis réfléchit un instant, puis se met à rire.

– Je ne parlais pas de vous, madame Léger. Je parlais de la vieille cuisinière en fonte que j'utilise pour la pizza, dit-il. Évidemment que j'aurai besoin de vous dans le nouveau restaurant. Personne ne pourrait mieux s'occuper de la salle à manger!

Mme Léger rougit.

– Euh, je me suis peut-être énervée un peu trop vite, dit-elle.

– Hé, Louis, félicitations! lance Sensei Sim depuis la porte moustiquaire. Le conseil municipal vient de se réunir et il te donne le local. Et puis il m'autorise à abattre le mur qui nous sépare et à agrandir mon école. Alors, on y gagne tous les deux.

– C'est formidable, Louis! s'exclame Daphné.

– Merci Daphné, dit Louis. Mais rien de tout

ça n'aurait fonctionné sans Scooby. C'est un vrai héros. Comment est-ce que je peux le remercier?

– Euh! avec la pizza et les raviolis gratuits dont vous parliez plus tôt, peut-être? suggère Sammy.

– J'ai une meilleure idée, dit Louis. Je reviens tout de suite.

Louis disparaît dans la cuisine et revient quelques instants plus tard, une assiette à la main. Sur cette assiette se trouve un énorme sandwich.

– Quoi de mieux qu'un héros pour remercier un héros! déclare Louis. Voici donc la toute

nouvelle création de la pizzeria Chez Louis : le sandwich Scooby-Doo super héros géant!

Scooby se lèche les babines, les yeux rivés sur le gigantesque sandwich. Il ouvre grand les mâchoires et prend une énorme bouchée.

– R'oufbfy-dfoufbfy-dooof!

Un mot sur l'auteur

Petit garçon, James Gelsey rentrait de l'école en courant pour regarder les dessins animés de Scooby-Doo à la télé (après avoir terminé ses devoirs!). Aujourd'hui, il aime toujours autant les regarder, en compagnie de sa femme et de ses deux filles. Il a un chien bien enjoué, qui répond au nom de Scooby et qui adore lui aussi les Scooby Snax!